Bie
a la Familia

KENNETH COPELAND

ACCESS SALES INTERNATIONAL
Tulsa, Oklahoma

A menos que se indique, toda escritura bíblica proviene de la *Versión Reina Valera* 1960.

BIENVENIDO A LA FAMILIA

(Welcome To The Family)

ISBN 0-88114-304-9   KC-304-9   30-0011S

Derechos literarios © 1984 por Kenneth Copeland
Kenneth Copeland Ministries
Fort Worth, Texas 76192-0001

Reimpreso 1999

Publicado por ACCESS SALES INTERNATIONAL
PO Box 700143
Tulsa, OK 74170-0143
1-918-523-5584
1-877-247-5427

Disponible en otros lenguajes y distribuido por
ACCESS SALES INTERNATIONAL

Dios le ama y cuida de usted

...tanto que él envió a su único hijo, Jesús, para ser sacrificado por usted.

...tanto que él envió a su precioso Espíritu Santo a esta tierra para ser su Consolador y su Maestro.

...tanto que él ha provisto para que usted viva libre de dolencias y enfermedades.

El desea lo mejor de lo mejor para usted; y usted puede empezar hoy a recibir lo mejor de Dios en su propia vida.

¡La Palabra de Dios dice que es suyo; por lo tanto, prepárese a recibir!

Kenneth Copeland

Como Llegar A Ser Cristiano

¿Sabe usted cuál es su posición con Dios?

Si usted nunca ha hecho de Jesucristo el Señor de su vida, entonces usted está separado de Dios por el pecado. Usted es la razón por la cual Dios envió a Jesucristo a la cruz. San Juan 3:16 dice que *"porque de tal manera amó Dios al mundo, que ha dado a su hijo Unigénito, para que todo aquél que en el crea no se pierda, más tenga vida eterna."* Dios le amó a *usted* tanto que el dio su único hijo Unigénito por *usted*.

Segunda de Corintios 5:21 dice que Dios hizo a Jesús, al que no conocía pecado, ser pecado por nosotros. Jesús era el Hijo de Dios sin mancha. El no conocía pecado; pero Dios le hizo ser pecado por nosotros. **El pecado fue la razón por la cual Jesús vino a la tierra. El murió en la cruz y fue al infierno por una razón: para pagar el precio por el pecado.** Una vez que el precio fue pagado, Jesús fue levantado de entre los muertos, triunfante sobre Satanás; y el problema del pecado fue resuelto.

Dios no tiene en cuenta su pecado. La única cosa que le previene de llegar a ser un hijo de Dios es el no apartarse de su mundo actual y de su dios actual, el cual es satanás, y el no hacer a Jesús el Señor sobre su vida.

Cuando Jesús pagó el precio del pecado por usted, él fue su sustituto. El cielo tiene registrado que usted ha sido hecho libre. Es como si usted mismo hubiera muerto en la cruz hace 2.000 años. Pero eso no significa que usted automáticamente irá al cielo. Aunque Dios envió a Jesús a pagar por su pecado—aunque él no tiene nada en contra suya—usted todavía puede ir derecho al infierno. ¿Por qué? Porqué usted no ha hecho la decisión de recibir a Jesús como su Señor y Salvador personal, para aceptar su sacrificio como el suyo. Usted tiene un libre albedrío. Usted tiene el derecho de escoger su propio destino. Dios no le forzará a recibir su salvación. La decisión es suya. Usted puede ir derecho al infierno y Dios no moverá un solo dedo para detenerle. El hizo todo lo que él va a hacer cuando él envió a Jesús al mundo.

La decisión está delante de usted.

Si usted escoge el hacer a Jesús su Señor, Dios **le recibirá** como a su propio hijo. Usted **llegará a ser** parte de la familia de Dios. El **será** su padre y usted será su hijo. Esto no es simplemente una idea teológica; esto es un hecho. En realidad, sucedió. Jesús en verdad caminó en la tierra como un hombre. En verdad fue a la cruz, murió allí, fue levantado de entre los muertos, y él vive hoy, sentado a la diestra de Dios en el cielo.

Cuando usted llega a ser cristiano—cuando usted llega a *nacer de nuevo*—usted toma la naturaleza de Dios, su Padre celestial. La naturaleza de pecado y Satanás es muerte; la naturaleza de Dios es vida. Jesús le habló a la gente de su época y dijo: *"vosotros sois de vuestro padre el diablo"* (San Juan 8:44). Y el aceptar a Jesús como señor hace que usted le dé la espalda a su padre el diablo, o al "dios de este mundo" como es llamado Satanás (2 Corintios 4:4). Usted recibe a un nuevo Padre, un Padre celestial; y usted es *nacido de nuevo*—no físicamente, pero espiritualmente. Su espíritu es renacido a la semejanza de Dios.

Ve usted, usted es un ser de tres partes: usted es espíritu, usted tiene un alma (mente, voluntad, emociones) y usted vive en un cuerpo. Jesús se refirió a esto en una conversación con Nicodemos (San Juan 3:3-7).

Jesús le dijo: "Os es necesatio nacer de nuevo."

Nicodemos respondió "¿Qué quiere decir usted? ¿Debo volver a entrar de nuevo al vientre de mi madre?"

Jesús contestó "No. Lo que es nacido de la carne, carne es. Lo que es nacido del Espíritu, espíritu es."

Ser nacido de nuevo es un renacer espiritual. Usted es nacido del Espíritu de Dios. El Espíritu Santo de Dios fue enviado a la tierra para llevar a cabo el nuevo nacimiento. Cuando hace de Jesús el Señor de su vida, el Espíritu Santo viene a habitar en usted y causa que su propio espíritu sea recreado. Según 2 Corintios 5:17, cuando usted acepta a Jesús como su Señor, usted llega a ser una nueva criatura, o una nueva creación; las cosas viejas pasan y todas las cosas son hechas nuevas. En cuanto a Dios se refiere, en ese momento, usted se presenta delante de él como una persona completamente nueva. Usted es renacido del pecado y de la muerte a la justicia y a la nueva vida. Eso es un hecho.

Primera de San Juan 5:1-4 dice, *"Todo aquél que cree que Jesús es el Cristo, es nacido de Dios...Porque todo lo que es nacido de Dios vence al mundo; y esta es la victoria que ha vencido al mundo, nuestra fe."*

Yo quiero que usted caiga en cuenta de lo que sucede en el momento en que una persona hace de Jesucristo el Señor de su vida. Ante los ojos de Dios, él se convierte en un vencedor del mundo. El pecado ya no reina sobre su vida. El pecado ya no es su señor. Jesús es su Señor y él puede vivir por encima de las fuerzas satánicas en el mundo.

Después de que Jesús fue levantado de entre los muertos, él se presentó delante de sus discípulos y dijo: *"Toda potestad me es dada en el cielo y en la tierra"* (San Mateo 28:18). Luego él delegó ese poder a su gente. El dijo: *"Id por todo el mundo y predicad el evangelio a toda criatura"* (San Marcos 16:15). ¿Qué es el evangelio? Las buenas nuevas de que Dios ya no tiene sus pecados y transgresiones en contra suya.

La Biblia da algunas instrucciones específicas que usted debe seguir para llegar a ser cristiano, o para ser nacido de nuevo. Vea Romanos 10:8-11:

Mas ¿qué dice? Cerca de ti está la palabra, en tu boca y en tu corazón. Esta es la palabra de fe que predicamos: que si confesares con tu boca que Jesús es el Señor, y creyeres en tu corazón que Dios le levantó de los muertos, serás salvo. Porque con el corazón se cree para justicia, pero con la boca se confiesa para salvación. Pues la Escritura dice: Todo aquél que en él creyere, no será avergonzado.

Jesús dijo: *"y al que a mí viene, no le echo fuera"* (San Juan 6:37). **No importa la clase de pecador que usted sea, no importa lo que usted haya hecho, usted puede ir a Jesús y él le aceptará.** Una vez que usted vaya a él, en ese momento él le hará nacer de nuevo. El le volverá a crear de nuevo, y ese pecado que le ha estado atormentando será una cosa del pasado. Se habrá ido. **¡Usted será aceptado delante de Dios como si nunca usted hubiese pecado!**

Para nacer de nuevo, usted usa su boca y usted usa su corazón. Primeramente, usted cree en su corazón que la Palabra de Dios es verdad; y después usted la confiesa con su boca porque usted la cree.

Yo quiero que usted caiga en cuenta de un hecho muy importante: Usted no confiesa que usted es salvo porque usted *se siente* salvo. Las emociones no tienen absolutamente nada que ver con la salvación. Permítame darle un ejemplo:

Supongamos que alguien le dice: "Yo fui al banco esta mañana y deposité $1.000.00 en su cuenta." ¿Cómo sabe usted que él realmente hizo lo que él dijo? Usted no cree que él lo hizo porque usted se siente $1.000 más rico; y uste no lo duda simplemente porque usted no se siente diferente. Sus sentimientos no tienen en realidad nada que ver con esto. Si la palabra de esa persona es buena, usted le creerá. Si su palabra es mala, usted no le creerá.

Cuando se trata de su salvación, usted está confiando en la Palabra de Dios. Y Dios no miente. El quiere decir lo que él dice. Si él lo dice, usted puede creerlo. El ha dicho que si usted cree en su corazón y confiesa con su boca que Jesús es el Señor, usted será salvo. Usted no basa su salvación en la forma en que usted se siente. Usted la basa en la pura y no adulterada Palabra del Dios todopoderoso.

La Palabra de Dios es la única evidencia que usted tiene de que usted es salvo, ¡pero esa es la única evidencia que usted necesita!

Después de varios días o semanas, a partir de ahora, pueda que usted no se sienta verdaderamente salvo. Pueda que usted se pregunte, para comenzar, si alguna vez en realidad fue salvo. Usted tendrá sus dudas—¡Satanás se encargará de ello! Pero cuando esos pensamientos y sentimientos vengan, regrese simplemente a la Palabra de Dios. Usted verá que ella todavía dice la misma cosa. Dios nunca cambia y su palabra nunca cambia. Hoy es aún tan verdadera como lo fue cuando fue dicha por primera vez. La gente puede tratar de convencerle de que no funcionó. Las tentaciones pueden llegar a convencerle de que no funcionó. Las dudas vendrán a su mente. Pero todas esas cosas no alteran el hecho de que la Palabra de Dios es verdadera.

Jesús dijo: *"yo he venido para que tengan vida, y para que la tengan en abundancia"* (San Juan 10:10). En el momento en que usted hace a Jesús el Señor de su vida, será el momento en que usted tendrá el deseo de vivir, en lugar de el deseo de morir. Yo puedo testificar de ese hecho en mi propia vida. Antes de que yo aceptara a Jesús como mi salvador, yo iba derecho al infierno. Todo lo que me gustaba hacer era malo para mí. Los hábitos que yo había formado durante 25 años eran destructivos para mi cuerpo y mi mente. Pero cuando yo hice de Jesús el Señor de mi vida, todos esos deseos fueron cambiados. De repente, yo tenía un deseo de deshacerme de mis hábitos inmundos. Yo tenía un deseo de deshacerme del tabaco, del alcohol, de los pensamientos y comportamiento inmorales, de las palabrotas, etc. Mis deseos habían sido cambiados. ¿Por qué? Porque yo fui cambiado, el verdadero yo, mi espíritu, renació. El cambio en mi espíritu trajo cambios a mi mente y a mi cuerpo.

Estos cambios están disponibles para usted, también. Dios está aquí mismo, listo para aceptarle, listo para cambiarle. Usted ya no tiene que vivir más en el pecado. Usted ya no tiene que vivir una vida derrotada. Usted no tiene que ser nada más, excepto un hijo de Dios. Usted puede caminar el camino de la vida victoriosamente con Jesús como su Señor y Salvador. Usted ya no tiene que tomar el segundo plano con Satanás otra vez. ¡Usted puede ser la cabeza y no la cola!

Yo quiero que usted ahora diga conmigo esta oración para la salvación. No la lea simplemente, haga un esfuerzo consciente de decir estas palabras desde lo más profundo de su ser. Cuando usted termine esta oración, usted habrá nacido de nuevo:

Padre celestial, yo me presento ante ti, en el nombre de Jesús.

Yo oro y pido que Jesús sea el Señor de mi vida. Yo lo creo en mi corazón, así es que lo digo con mi boca: "Jesús ha sido levantado de entre los muertos." En este momento, le hago el Señor de mi vida.

Jesús, ven a mi corazón. Yo creo en este momento que yo soy salvo. Yo lo declaro ahora: "Yo he nacido de nuevo. Yo soy un cristiano. Yo soy un hijo del Dios todopoderoso."

Ahora, agradezcale a Dios por hacerle su hijo. Colosenses 1:12 dice: *"con gozo dando gracias al Padre que nos hizo aptos para participar de la herencia de los santos en luz."* Usted acaba de ser hecho partícipe de una herencia de Dios. **¡Usted acaba de heredar el reino de Dios!**

Hablando de Dios, el siguiente verso dice: *"El cual nos ha librado de la potestad de las tinieblas, y trasladado al reino de su amado Hijo, en quien tenemos redención por su sangre, el perdón de pecados."*

Usted no tiene que esperar hasta que usted muera para recibir su herencia. ¡Usted es un hijo de Dios en este mismo momento, y usted puede recibir todo lo que le pertenece ahora mismo! Primera de San Juan 3:2 dice: *"Amados, **ahora** somos hijos de Dios."* Usted ha sido liberado de las tinieblas al reino de Dios.

Jesús dice: *"No temáis, manada pequeña, porque a vuestro Padre le ha placido daros el reino"* (San Lucas 12:32).

¡Yo le doy la bienvenida a la familia de Dios!

Como Recibir el Bautismo
de el Espíritu Santo

Antes de que Jesús fuese a la cruz, él le enseño a sus discípulos acerca del Espíritu Santo, o el Consolador. En San Juan 14:16-17, él dice: *"Y yo rogaré al Padre, y os dará otro Consolador, para que esté con vosotros para siempre: el Espíritu de verdad, al cual el mundo no puede recibir, porque no le ve, ni le conoce; pero vosotros le conocéis, porque mora con vosotros, y estará en vosotros."*

En la salvación, usted nació de nuevo cuando el Espíritu Santo recreó su espíritu y vino a vivir en usted. Pero su trabajo no termina con impartirle la naturaleza de Dios a su Espíritu. El quiere que usted deje que su poder energizador explote en usted para trasformarle en un testigo eficaz y ponerle en contacto con las cosas profundas de Dios (1 Corintios 14:4, 2:10).

Jesús dijo, mientras él ministraba en la tierra, *"...el Padre que mora en mí, él hace las obras...El que en mí cree, las obras que yo hago, él las hará también; y aún mayores hará, porque yo voy al Padre"* (San Juan 14:10,12). Es el Espíritu Santo habitando en usted él que hará estas "grandes obras." En San Marcos 16, Jesús le ordenó a sus discípulos el ir en poder: *"Id por todo el mundo y predicad el evangelio a toda criatura...Y estas señales seguirán a los que creen: En mi nombre echarán fuera demonios; hablarán nuevas lenguas...sobre los enfermos pondrán sus manos, y sanarán."*

Dios intenta que mientras usted sea un testigo de Jesús y ore por la gente, el Espíritu Santo a través de usted sea libre de hacer lo que sea necesario para traer salvación, sanidad, liberación o cualquiera que fuese la necesidad.

Esta delegación de poder para el ministerio es el resultado de recibir el bautismo en el Espíritu Santo. Y es para todos en el cuerpo de Cristo, porque Dios dio su Espíritu a la iglesia en el día del Pentecostés.

Con la delegación del poder del Espíritu Santo, usted podrá hacer el trabajo y comunicar efectivamente la Palabra de Dios. Pero así como usted recibió la salvación, usted debe personalmente recibir el bautismo del Espíritu Santo. Usted lo recibe exactamente como usted recibió a Jesús—por fe, creyendo en la Palabra de Dios.

Usted no tiene que rogarle a Dios que le de esta delegación de poder. Todo lo que tiene que hacer cualquier creyente nacido de nuevo es invitar al Espíritu Santo que tenga completo acceso a su vida. El le ayudará a deshacerse de hábitos. El hechará fuera de su vida las cosas impuras. El es el poder que lleva a cabo estas cosas.

Aunque usted no tiene que rogar para recibir al Espíritu Santo, usted tiene que pedir. Si usted lo pide, la Palabra de Dios promete que usted lo recibirá:

Y yo os digo: Pedid, y se os dará; buscad, y hallaréis; llamad, y se os abrirá. Porque todo aquél que pide, recibe; y el que busca, halla; y al que llama, se le abrirá. ¿Qué padre de vosotros, si su hijo le pide pan, le dará una piedra? ¿o si pescado, en lugar de un pescado, le dará una serpiente? ¿O si le pide un huevo, le dará un escorpión? Pues si vosotros, siendo malos, sabéis dar buenas dádivas a vuestros hijos, ¿CUÁNTO MÁS vuestro Padre celestial dará el Espíritu Santo a los que se lo pidan? (San Lucas 11:9-13)

Jesús está hablando acerca de un *hijo* que le está pidiendo algo a su *padre*. Usted es un hijo de Dios, usted es su hijo y él es su Padre. Si usted viene a Dios y le pide el Espíritu Santo, usted no recibirá un demonio. No se preocupe de recibir la cosa errónea.

Dios está preparado y listo para bautizarle en su Santo Espíritu cuando usted se lo pida. El Espíritu Santo vino a la tierra en el día de Pentecostés y aun él está aquí. El está ahí con usted ahora mismo. En el momento en que usted le pida al Padre el Espíritu Santo, él se lo dará a usted. Tan deseoso como usted lo está de recibirlo, él está aun más listo para darle el poder con la habilidad de Dios. El Espíritu Santo está siempre presente, listo para moverse, porque él quiere que usted sea un testigo vital y poderoso de Jesús.

Pero no forzará al Espíritu Santo en su vida en ninguna forma en la que usted no esté dispuesto a recibirle. Su voluntad está involucrada Sin su acción voluntaria, usted nunca recibirá nada de Dios.

El recibir al Espíritu Santo requiere que usted se humille delante de Dios. Usted se presenta delante de Dios dispuesto y listo. Usted le entrega a él su cuerpo, su mente, y su espíritu. Usted dice, "Aquí estoy yo, pidiéndote que vengas a vivir dentro de mí. Porque yo te lo estoy pidiendo, yo espero que tú lo hagas. Tu Palabra dice que tú darás el Espíritu Santo a aquellos que lo piden, así es que yo te estoy pidiendo ahora. Bautízame en tu Espíritu Santo."

De nuevo, usted no debe guiarse por sus sentimientos. Usted recibe al Espíritu Santo por fe, no por sentimientos.

Cuando usted es bautizado en el Espíritu Santo, una cosa extraordinaria sucede: Usted puede hablar en otra lengua. *"Y fueron todos llenos del Espíritu Santo, y comenzaron a hablar en otras lenguas, según el Espíritu les daba que hablasen"* (Hechos 2:4). El Espíritu Santo da la expresión, pero usted es él que habla. En ninguna parte en el Nuevo Testamento dice que el Espíritu Santo es él que habla. **Dios no le forzará a que usted hable en lenguas.** El Espíritu Santo suplirá las palabras—palabras que son desconocidas para usted—pero usted tiene que proveer el sonido.

Cuando usted ora en lenguas, usted está orando "en el espíritu." Así como su idioma es la voz de su mente, el orar en lenguas es la voz de su espíritu. Es su espíritu hablando misterios ante Dios (1 Corintios 14:2). El apóstol Pablo dijo: *"Porque si yo oro en lenguas desconocidas, mi espíritu ora, pero mi entendimiento queda sin fruto"* (1 Corintios 14:14). Yo quiero orar con usted ahora para que reciba al Espíritu Santo:

Mi Padre celestial, yo soy un creyente. Yo soy tu hijo y tú eres mi Padre. Jesús es mi Señor. Yo creo con todo mi corazón que tu Palabra es verdadera.

Tu palabra dice que si lo pido yo recibiré al Espíritu Santo, así es que, en el nombre de Jesucristo, mi Señor, yo te estoy pidiendo que me llenes con tu precioso Espíritu Santo hasta rebosarme.

Jesús, bautízame en el Espíritu Santo. Debido a tu Palabra, yo creo que ahora lo recibo y te doy gracias por él. Yo creo que el Espíritu Santo está en mí y por fe yo lo acepto.

Ahora, Espíritu Santo, levántate dentro de mí mientras que yo alabo a Dios. Yo espero completamente el hablar en otras lenguas según me des la habilidad.

Ahora, yo quiero que usted empiece a darle gracias a Dios y a alabarle por bautizarle en su Espíritu Santo. A la medida que usted lo haga, se levantarán dentro de su espíritu ciertas palabras y sílabas que son desconocidas para usted, así es que háblelas por fe. No hable más en su propio idioma. Usted no puede hablar en dos idiomas al mismo tiempo. Simplemente empiece a decir las sílabas que están en sus labios. Usted es como un bebé, y usted empezará hablando palabras que suenan como de bebé. (Recuerde que, usted tiene que usar su propia voz. Dios no le forzará a hablar.)

De este momento en adelante, usted es un creyente bautizado en el Espíritu Santo. Jesús dijo en San Juan 14:16: *"Y yo rogaré al Padre, y os dará otro Consolador, para que esté con vosotros para siempre."* El Espíritu Santo es su Consolador, que significa el que consuela, su Ayudador, su Intercesor, su Abogado, su Fortalecedor, su Recurso. Usted puede contar con él para satisfacer todas estas áreas de ministerio.

El Espíritu Santo fue enviado para enseñarle todas las cosas, para guiarle y orientarle en toda verdad (San Juan 14:26, 16:12-13). **Usted ya no está solo. ¡El Espíritu Santo es el Consolador que habitará con usted para siempre!**

Como Orar por
la Sanidad

La sanidad le pertenece a usted. Jesús la compró al ir a la cruz. Usted tiene tanto derecho de ser sanado como usted lo tiene de ser salvo y lleno con el Espíritu Santo.

Según San Mateo 8:17, Jesús *"...tomó nuestras enfermedades, y llevó nuestras dolencias."* El las llevó en su propio cuerpo para que usted y yo no tuviésemos que hacerlo. Nosotros estamos redimidos de las dolencias y enfermedades.

Vea Gálatas 3:13-14:

"Cristo nos redimió de la maldición de la ley, hecho por nosotros maldición (porque está escrito: Maldito todo el que es colgado en un madero), para que en

Cristo Jesús la bendición de Abraham alcanzase a los gentiles, a fin de que por la fe recibiésemos la promesa del Espíritu."

Jesús llevó una maldición para que nosotros pudiéramos recibir una bendición. ¿Cuál es "la bendición de Abraham"? Leamos Génesis 17:

Era Abram de edad de noventa y nueve años, cuando le apareció Jehová y le dijo: Yo soy el Dios Todopoderoso; anda delante de mí y sé perfecto [o recto, sincero]. Y pondré mi pacto entre mí y ti, y te multiplicaré en gran manera... Y no se llamará más tu nombre Abram, sino que será tu nombre Abraham, porque te he puesto por padre de muchedumbre de gentes...Y estableceré mi pacto entre mí y ti, y tu descendencia después de tí en sus generaciones, por pacto perpetuo, para ser tu Dios, y el de tu descendencia después de tí.

Este pacto que Dios hizo con Abraham fue sellado con la sangre de Jesús. Según Gálatas 3:29, cuando usted pertenece a Jesucristo, por tanto, usted es de el linaje de Abraham y heredero de acuerdo a la promesa. **Usted es un heredero de la bendición que Dios le dio a Abraham.** Esta bendición, se encuentra en Deuteronomio 28, y cubre cada área de su existencia: Espíritu, alma, cuerpo, económicamente y socialmente. Lea los primeros 14 versículos de Deuteronomio 28 y usted caerá en cuenta de toda las bendiciones que le pertenecen como hijo de Dios y como coheredero con Jesús.

Una de esas bendiciones es la sanidad física. **Usted tiene el derecho de vivir libre de enfermedades y dolencias.** Pedro dijo de Jesús, *"Quien llevó él mismo nuestros pecados en su cuerpo sobre el madero, para que nosotros, estando muertos a los pecados, vivamos a la justicia; y por cuya herida fuisteis sanados"* (1 San Pedro 2:24). La llagas puestas en la espalda de Jesús por los soldados

Romanos representaron su sanidad. Por esas llagas, usted *fue sanado*—tiempo *pasado*. Usted fue sanado hace 2.000 años. Pero usted tiene que recibirlo hoy por la fe. **La sanidad es parte de su herencia, parte de la bendición de Abraham; pero para que usted pueda vivir en su herencia, usted tiene que creerla por usted mismo y aceptarla como una realidad en su propia vida.**

Es una cosa muy sencilla el orar por la sanidad. Usted simplemente dice:

Padre, yo soy tu hijo. Yo soy lleno de tu Espíritu. Yo creo que Jesús llevó mis enfermedades y cargó mis dolencias, y yo creo que por sus llagas yo fui sanado hace 2.000 años.

Ahora mismo, yo acepto ese hecho por la fe. Yo creo que yo soy sano ahora, en el nombre de Jesús.

Como hijo de Dios, usted tiene el derecho de ordenarle a Satanás que se vaya de su vida. El no tiene el derecho de poner enfermedades y dolencias en su cuerpo, porque Jesús llevó todas las enfermedades y dolencias en su propio cuerpo. El que Satanás pusiera algo de eso en su cuerpo sería una injusticia. Usted es la propiedad de Dios y Satanás es un intruso. El no tiene el derecho de tocar su espíritu, su alma, o su cuerpo.

¡Usted Puede Vivir en Salud Divina!

Está bien el recibir sanidad después de que usted se enferma, pero el vivir continuamente en salud divina es mucho mejor. **La salud divina es el privilegio más grande de cada creyente nacido de nuevo, lleno de el Espíritu Santo.**

Según Proverbios 4:22, las palabras de Dios son vida para aquellos que las hallan y salud (o medicina) a todo su cuerpo.

Dios quiere que cada creyente viva completamente libre de enfermedades y dolencias. Está en usted el decidir si usted lo hará o no.

Una de las mejores formas de activar el poder de Dios en su vida es el confesar continuamente lo que su palabra dice acerca de usted. Confesando la Palabra de Dios en cuanto a la salud, ¡usted construirá la imagen de la salud divina en su corazón hasta que usted sepa sin la menor duda de que es la voluntad de Dios para usted! *"...la fe es por el oír, y el oír por la palabra de Dios"* (Romanos 10:17).

Siempre que usted hable la Palabra de Dios, usted debe recordar Isaías 55:11 que dice: *"así será mi palabra que sale de mi boca; no volverá a mí vacía, sino que hará lo que yo quiero, y será prosperada en aquello para que la envíé."*

Use la siguiente oración como su propia confesión de salud y sanidad. Y mientras lo hace, recuerde Jeremías 1:12 que dice: "Dios cuida de su palabra para ponerla por obra."

Oración Por la Salud y la Sanidad

"Padre, en el nombre de Jesús, yo confieso tu Palabra en cuanto a la salud y la sanidad. Mientras lo hago, yo creo que tu Palabra no regresará a tí vacía. Pero cumplirá con lo que dice."

"En el nombre de Jesús, yo creo que yo soy sano de acuerdo a 1 San Pedro 2:24. Tu Palabra dice que Jesús mismo llevó mis enfermedades y cargó mis dolencias (San Mateo 8:17). Por lo tanto, con gran seguridad y confianza, yo me mantengo firme en la autoridad de tu Palabra y declaro que yo estoy redimido de la maldición de la enfermedad. Y yo rehuso el tolerar sus síntomas."

"Satanás, yo te hablo en el nombre de Jesús, y proclamo que tus principados, potestades y gobernadores de las tinieblas de este mundo, y huestes espirituales de maldad en las regiones celestes son atadas de obrar en contra mía en cualquier manera. Yo soy liberado de tu asignación. Yo soy la propiedad de Dios todopoderoso y no te doy lugar en mí. Yo habito al abrigo del Altísimo y yo moro bajo la sombra del Omnipotente, cuyo poder ningún enemigo puede resistir.

"Ahora, Padre, yo creo en tu Palabra que dice que, 'el ángel de Jehová acampa alrededor de mí y me defiende de toda obra de maldad. Ningún mal me acontecerá, no plaga o calamidad vendrá cerca de mi morada.'

"Yo confieso que la Palabra habita en mí y es vida y medicina para mi cuerpo. La ley del Espíritu de vida en Cristo Jesús opera en mí, haciéndome libre de la ley del pecado y de la muerte.

"Yo me sostengo firme en mi confesión de tu Palabra y me mantengo inmovible, sabiendo que la salud y la sanidad son mías AHORA, en el nombre de Jesús."

Oración para la Salvación y Bautizo del Espíritu Santo

Padre celestial, vengo ante ti en el Nombre de Jesús. Tu Palabra dice: *"Todo aquel que invocare el nombre del Señor, será salvo"* (Hechos 2:21). Yo invoco Tu Nombre. Oro y pido Jesús que vengas a mi corazón y que seas Señor de mi vida según Romanos 10:9-10. *"Si confesares con tu boca que Jesús es el Señor, y creyeres en tu corazón que Dios le levantó de los muertos, serás salvo. Porque con el corazón se cree para justicia, pero con la boca se confiesa para salvación."* Eso hago ahora. Confieso que Jesús es el Señor, y creo en mi corazón que Dios le levantó de los muertos.

¡He renacido! ¡Soy un cristiano, un hijo del Dios Todopoderoso! ¡Soy salvo! También dijiste en Tu Palabra, *"Si vosotros, siendo malos, sabéis dar buenas dádivas a vuestros hijos: ¿CUÁNTO MÁS vuestro Padre celestial dará el Espíritu Santo a los que se lo pidan?"* (Lucas 11:13). También Te pido que me llenes con Tu Espíritu Santo. Espíritu Santo, surge dentro de mí a medida que yo alabo a Dios. Yo espero con confianza hablar en otras lenguas pues Tú me darás la expresión (Hechos 2:4).

(Empiece alabando a Dios por haberle llenado con el Espíritu Santo. Diga las palabras y sílabas que recibe, no en su propio lenguaje, pero en el lenguaje que le ha dado el Espíritu Santo. Tiene que usar su propia voz. Dios no le forzará a hablar.

Ahora es un creyente lleno del Espíritu Santo. Continúe con la bendición que Dios le ha dado y ore en otras lenguas cada día. ¡Usted no será igual!)

LIBROS POR KENNETH COPELAND

Actualmente Estamos en Cristo Jesús

Bienvenido a la Familia

El Poder de la Lengua

La Actitud Triunfadora

La Decisión Es Suya

La Fuerza de la Fe

La Fuerza de la Justicia

La Misericordia de Dios

Libertad del Temor

Nuestro Pacto con Dios

La Oración, Su Fundamento Para el Éxito

Sensitividad de Corazón

Una Ceremonia de Matrimonio

¡Usted Es Sanado!

Seis Pasos para la Excelencia Ministerial

Prosperidad, la Decisión es Suya

LIBROS POR GLORIA COPELAND

Andar en el Espíritu

Cosecha de Salud

El Amor El Secreto De Su Éxito

La Voluntad De Dios Es El Espíritu Santo

Y Jesús Sanaba a Todos

OFICINAS INTERNACIONALES DE LOS
MINISTERIOS KENNETH COPELAND

Para obtener más información acerca de KCM y un catálogo gratis, favor escribir a la oficina más cercana a usted:

Kenneth Copeland Ministries
Fort Worth, Texas 76192-0001
UNITED STATES OF AMERICA

Kenneth Copeland
Post Office Box 378
Surrey
BRITISH COLUMBIA
V3T 5B6
CANADA

Kenneth Copeland
Post Office Box 15
BATH
BA1 1GD
ENGLAND

Kenneth Copeland
Locked Bag 2600
Mansfield Delivery Centre
QUEENSLAND 4122
AUSTRALIA

Kenneth Copeland
Post Office Box 830
RANDBURG
2125
REPUBLIC OF
SOUTH AFRICA

UKRAINE
L'VIV 290000
Post Office Box 84
Kenneth Copeland Ministries
L'VIV 290000
UKRAINE

Copias adicionales de este libro se encuentran
a la venta en librerías locales, o pueden ser
pedidas al escribir o llamar a:

ACCESS SALES INTERNATIONAL
PO Box 700143
Tulsa, OK 74170-0143

1-918-523-5584
1-877-247-5427